Le spectacle
de Sami et Julie

Sandra Lebrun et Loïc Audrain

hachette
ÉDUCATION

Avec Sami et Julie, lire est un plaisir !

Avant de lire l'histoire

- Parlez ensemble du titre et de l'illustration en couverture, afin de préparer la compréhension globale de l'histoire.
- Vous pouvez, dans un premier temps, lire l'histoire en entier à votre enfant, pour qu'ensuite il la lise seul.
- Si besoin, proposez les activités de préparation à la lecture aux pages 4 et 5. Elles permettront de déchiffrer les mots les plus difficiles.

Après avoir lu l'histoire

- Parlez ensemble de l'histoire en posant les questions de la page 30 : « As-tu bien compris l'histoire ? »
- Vous pouvez aussi parler ensemble de ses réactions, de son avis, en vous appuyant sur les questions de la page 31 : « Et toi, qu'en penses-tu ?»

Bonne lecture !

Couverture : Mélissa Chalot
Maquette intérieure : Mélissa Chalot
Mise en pages : Typo-Virgule
Illustrations : Thérèse Bonté
Édition : Laurence Lesbre
Relecture ortho-typo : Jean-Pierre Leblan

ISBN : 978-2-01-701217-7
© Hachette Livre 2017.

Achevé d'imprimer en Septembre 2020 en Espagne par Unigraf
Dépôt légal : Juin 2017 - Édition 09 - 73/3499/2

Les personnages de l'histoire

1 Montre le dessin quand tu entends le son (i) dans le mot.

2 Montre le dessin quand tu entends le son (p) dans le mot.

3 Lis ces syllabes.

pré	sur	pri	cir	que	gui

men	par	trai	cer	ceau	gour	tion

4 Lis ces mots-outils.

plus mon est aussi dans trop

comme pour voici enfin avec

5 Lis les mots de l'histoire.

déguisement   acrobate   cirque

cerceau   invitation   micro

Sami et Julie préparent une surprise pour Papa et Maman : un numéro de cirque !

– Ah, zut ! Je ne trouve plus mon déguisement, dit Sami.

Tobi est fier : il va participer

au spectacle lui aussi.

Sami et Julie s'entraînent.

– Tobi ! DANS le cerceau !

ordonne Julie.

Pfff, tu es trop gourmand...

– Tenez, madame, une invitation

pour un spectacle-surprise,

dit Sami.

– Ça commencera à 4 heures

pile ! Ne soyez pas en retard !

ajoute Julie.

– Bonjour, mesdames et messieurs ! annonce Sami dans son micro. Bienvenue au cirque de Sami et Julie. Merci d'éteindre vos portables pour ne pas déranger les artistes…

Et voici Julie l'acrobate !

Elle s'élance et...

– Bravo, Julie ! s'exclament

les spectateurs ébahis.

– La roulade était particulièrement

réussie, chuchote Papa

à sa voisine.

CLAP !   CLAP !   CLAP !   CLAP !

Tobi passe dans le cerceau :
bravo !

– Ça y est, dit Sami : tu as
enfin compris !

Le public est ravi !

– Merci ! Merci ! disent Sami
et Julie.

– Et maintenant,

place à la magie

avec Tobi le magi-chien !

lance Sami.

– Tous les biscuits ont disparu !

Il n'y en a plus. Applaudissez

notre magi-chien !

– Incroyable ! s'amusent Papa

et Maman.

Le spectacle s'achève

en musique.

Papa et Maman ont très envie

de danser.

Et Tobi a très envie

de chanter !

Les spectateurs applaudissent
à tout rompre.

BRAVO !
BRAVO !

BIS !   **ENCORE !**

– Vous avez mérité un bon
goûter, dit Papa. Enfin...
sauf ceux qui ont déjà mangé
des biscuits ; n'est-ce pas, Tobi ?

As-tu bien compris l'histoire ?

1 **Pour qui Sami et Julie préparent-ils leur spectacle ?**

2 Pourquoi Tobi est-il fier ?

3 **À quelle heure commence le spectacle ?**

4 Qui fait un tour de magie ?

5 **Sais-tu ce qu'est un « acrobate » ?**

As-tu lu tous les Sami et Julie ?

Niveau 1

Début de CP

Niveau 2

Milieu de CP

Niveau 3

Fin de CP

Niveau CE1

hachette
ÉDUCATION